Domitille de Pressensé

émilie

Mise en couleurs : Guimauv'

connaissez-vous
émilie ?

elle a une robe rouge
avec des fleurs
blanches,

un petit bonnet
rouge,

des chaussettes
blanches et des
souliers **rouges**.

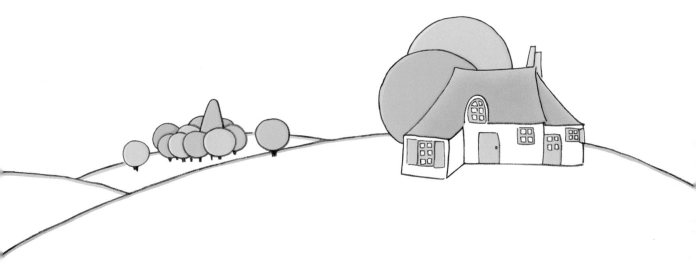

elle habite tout là-bas
dans une maison
près de la forêt
avec son papa,
sa maman,

son frère
stéphane

et

sa petite sœur élise.

émilie a
aussi un ours avec
une patte cassée,
un petit fauteuil
et un hérisson vivant :
arthur.

un jour,

elle a mis
son manteau rouge
et ses petits gants
verts

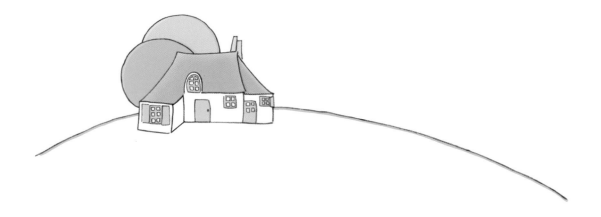

et elle est partie…

... dans la forêt

faire

un bouquet

de fleurs

pour

sa maman

elle a tourné
à droite,

à gauche,

et puis
encore à droite,

et...

elle s'est perdue.

la forêt est très grande et émilie toute petite

comment faire

pour retourner

chez papa et maman ?

monter dans un arbre
pour regarder
tout là-haut ?

mais
la première branche
est trop haute !

un bruit !

 maman a dit
que les loups
ça n'existe
que très très loin.

mais quand

on est

toute  petite

et perdue

dans la forêt,

on a **peur**

et ça donne envie

de pleurer.

arthur ! c'est arthur
le hérisson !

émilie est très

con**te**n**te,**

maintenant
elle n'est plus seule.

arthur connaît le chemin.

ils tournent

à gauche,

à droite,
et voilà la maison !

merci,
arthur !

j'ai retrouvé
ma maison.

et maintenant
dans la maison
il y a comme avant :
mon papa,
ma maman,

stéphane
et élise,
mon petit fauteuil,
mon ours à la patte
cassée et puis arthur
et moi... émilie.

www.casterman.com
© Casterman 2008

ISBN 978-2-203-01163-2
Imprimé en Italie
Dépôt légal mars 2008; D 2008/0053/144
Déposé au ministère de la Justice (loi n° 49.956 du 16 juillet 1949 sur les publications destinées à la jeunesse).